Sara Jones, Arbenigwr Uncyrn

Sara Jones, Unicorn Expert

I Anna a Flora - MH

I fy nheulu: SE, HC, PA, OJ - EO

Cyhoeddwyd yn 2018 gan Wasg y Dref Wen, 28 Heol Yr Eglwys, Yr Eglwys Newydd,
Caerdydd CF14 2EA, ffôn 029 20617860.
Testun © Morag Hood 2018
Lluniau © Ella Okstad 2018
Mae Morag Hood ac Ella Okstad wedi datgan eu hawl i gael eu cydnabod fel awdur ac arlunydd
y gwaith hwn yn unol â deddf Hawlfraint, Dyluniadau a Phatentau 1988.
Y Fersiwn Cymraeg © 2018 Dref Wen Cyf.
Cyhoeddwyd gyntaf yn Saesneg 2016 gan Simon and Schuster UK Ltd, Llawr cyntaf, 222
Gray's Inn Road, Llundain WC1X 8NB y teitl *Sophie Johnson, Unicorn Expert*
Cyhoeddwyd gyda chymorth ariannol
Cyngor Llyfrau Cymru.
Cedwir pob hawl. Argraffwyd yn China

Sara Jones, Arbenigwr Uncyrn

Sara Jones, Unicorn Expert

Morag Hood ac Ella Okstad

Addasiad Elin Meek

DREF WEN

GŴYL

UNCYRN

Fy enw i yw
Sara Jones a dwi'n
byw gydag uncorn.

My name is Sara Jones
and I live with a unicorn.

Wel, nid dim ond un,
a dweud y gwir.

Well, not just one actually.

Dwi'n credu bod gen
i 17 ar hyn o bryd.

I think I have 17 at the moment.

Mae gofalu am gymaint ohonyn
nhw'n gallu bod yn waith caled.

It can be hard work looking after so many.

Mae llond côl o waith bob amser.

There is always a lot to do.

Drwy lwc,
dwi'n arbenigwr uncyrn.
Luckily, I am a unicorn expert.

Dwi wrthi'n brysur iawn yn dysgu popeth sydd
i'w wybod am hud a lledrith uncyrn iddyn nhw.
I am very busy teaching my unicorns
everything there is to know about magic.

Dwi'n dangos iddyn nhw sut mae hela am fwyd …

I show them how to hunt for food …

… sut mae adnabod uncyrn eraill, a dwi'n eu dysgu nhw am beryglon …

… how to identify other unicorns and I teach them about the dangers of …

BALWNAU!

BALLOONS!

Weithiau mae fy uncyrn
yn colli eu cyrn.

Sometimes my unicorns lose their horns.

Ond dwi ddim yn poeni,

But I don't worry,

oherwydd maen nhw'n tyfu 'nôl mewn dim o dro.

because they soon grow back.

Mae byw gydag uncyrn yn gallu bod braidd yn anodd.

Living with unicorns can be a bit tricky.

Maen nhw'n eithaf anniben.

They are quite messy.

Dwi'n ceisio egluro bod hud a lledrith yn bwysicach nag annibendod,

I try to explain that magic is more important than mess,

ond dwi ddim yn credu bod Mam yn deall.

but I don't think Mam understands.

Mae llawer o elynion gan uncyrn,

Unicorns have many enemies,

felly weithiau,
mae'n **rhaid** i mi eu hamddiffyn nhw.

so sometimes, I have to protect them.

Mae bod yn arbenigwr uncyrn
yn fwy anodd nag y byddet ti'n meddwl.

Being a unicorn expert is harder than you'd think.

Diolch byth fy mod i yma.

Dydy rhai pobl ddim hyd yn oed yn gwybod sut mae uncorn GO IAWN yn edrych!

It's a good job I'm here.
Some people don't even know what a REAL unicorn looks like!

Dyna pam mae fy angen i arnyn nhw –
Sara Jones, Arbenigwr Uncyrn.

That's why they need me - Sara Jones, Unicorn Expert.